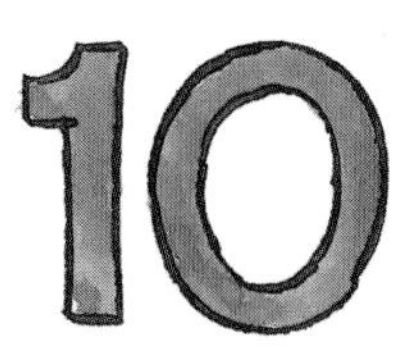

cijfer

club

hij duwt (duwen)

hij fluistert (fluisteren)

Henk Hokke

Een tien voor taal?

met tekeningen van

Els van Egeraat

Op de cd staat een korte leesinstructie bij dit boek.
Daarna leest de auteur het eerste hoofdstuk voor.
Kijk op de cd welk nummer bij dit boek hoort.

Achter in het boek zijn leestips opgenomen voor ouders.

Boeken met dit vignet zijn op niveaubepaling geregistreerd
en gecontroleerd door KPC Groep te 's-Hertogenbosch.

1e druk 2006

ISBN 90.276.6414.5
NUR 286/282

Illustraties: Els van Egeraat
Leestips: Marion van der Meulen
Vormgeving: Natascha Frensch

Uitgeverij Zwijsen B.V. Tilburg

Voor België:
Zwijsen-Infoboek, Meerhout
D/2006/1919/186

Inhoud

1. Durf je dat?

Juf Tessa houdt een rode map omhoog.
'Dit is de toets voor vrijdag,' zegt ze.
'Daar gaan we nu voor oefenen.
Pak je taalschrift maar en je pen.'
Groep vijf doet wat juf zegt.
Juf Tessa legt de map in een **la** van haar tafel.
Ze draait het bord om.
'Schrijf deze taalles maar in je schrift,' zegt ze.
'En denk bij elke zin heel goed na.'

Koen hoort achter zich een diepe zucht.
Hij **gluurt** over zijn schouder naar Tjerk.
Tjerk kauwt op de achterkant van zijn pen.
Hij is heel slecht in taal.
En de taalles op het bord is erg moeilijk.
Tjerk ziet dat Koen naar hem kijkt.
'Kijk voor je,' zegt hij met een boos gezicht.
Vlug draait Koen zich weer om.
Hij bijt op zijn lip.
Tjerk is de aanvoerder van de **club** van drie.
Dat is de **club** van Tjerk, Luuk en Rob.
Ze doen leuke dingen met hun **club**.
En ze hebben een hut in de tuin van Rob.

Koen wil ook graag bij de **club** van drie.
Maar Tjerk vindt dat niet goed.

Juf Tessa komt naast Tjerk staan.
Ze kijkt in het schrift van Tjerk.
Ze schudt haar hoofd.
'Dat gaat nog niet zo goed, Tjerk,' zegt ze.
'Hoe moet dat nou met de toets van vrijdag?'
Tjerk geeft geen antwoord.

In de pauze staat Koen bij het klimrek.
Hij kijkt naar de **club** van drie.
Tjerk zwaait heel gek met zijn armen.
Rob en Luuk lachen hard om hem.
Tjerk kijkt het plein rond.
En dan ... dan loopt hij op Koen af.
Rob en Luuk komen achter hem aan.

Tjerk blijft vlak voor Koen staan.
'Wil je nog bij onze **club**?' vraagt hij.
Koen kijkt de jongens een voor een aan.
Is dit een grapje van Tjerk?
Tjerk geeft Koen een duw.
'Nou, wil je nog bij onze **club** of niet?'
'Eh ... ja, dat is goed,' zegt Koen.
Tjerk kijkt een paar keer om zich heen.

‘Dan moet je eerst een **opdracht** voor ons doen,’
zegt hij.
‘Een **opdracht**?’ vraagt Koen.
‘Ja, dat hoort altijd als je bij een **club** komt,’
zegt Tjerk.
Koen slikt.
‘Goed, ik doe een **opdracht**,’ zegt hij.
‘Maar wat moet ik dan doen?’
Tjerk buigt zich naar hem toe.
Hij **fluistert** iets in het oor van Koen.
De mond van Koen valt open.
Tjerk lacht.
‘Nou, durf je dat?’ vraagt hij.
Koens hart bonst in zijn keel.
‘Ja, dat durf ik wel,’ zegt hij langzaam.

2. Een tien

Groep vijf zit weer in de klas.
De kinderen maken de taalles af die op het bord staat.
Na een kwartier legt Koen zijn pen neer.
Hij loopt met zijn schrift naar juf Tessa.
'Ha, ben je al klaar, Koen?' zegt juf.
Ze kijkt de taalles na.
'Dat is prima werk, jongen,' zegt ze dan.
'Je krijgt er een tien voor!'
Juf schrijft een tien onder de taalles.

Koen wil weer op zijn plek gaan zitten.
'Wacht even, Koen,' zegt juf Tessa.
Ze doet de **la** van haar tafel open.
'Je heb wel een plaatje verdiend,' zegt juf.
Ze zoekt in de **la**.
Koen ziet de rode map met de toets.
Hij kijkt naar Tjerk, die langzaam naar hem knikt.
Koen krijgt het er warm van.
Juf plakt een plaatje bij de les van Koen.
Dan doet ze de **la** dicht.
Koen gaat weer op zijn plek zitten.
Hij pakt een boek uit zijn vak.

Hij probeert een stukje te lezen.
Maar hij denkt steeds aan de toets in de **la** van juf.

Opeens stoot Luuk hem aan.
Hij schuift een briefje naar Koen toe.
'Van Tjerk,' zegt hij zacht.
Koen vouwt het briefje open.
Hij leest wat er staat:
Ik wil ook een tien voor taal.
Koen stopt het briefje diep in zijn broekzak.
Hij heeft een raar gevoel in zijn buik.
Morgen is het zo ver.
Morgen moet hij de **opdracht** voor de **club** doen!

3. Buikpijn

Die avond voelt Koen zich rot.
Aan tafel zegt hij bijna niets.
'Wat is er, Koen?' vraagt Koens moeder.
'Je bent zo stil.
Je bent toch niet ziek, hoop ik?'
Koen neemt vlug een hap van zijn eten.
'Nee,' zegt hij met volle mond.
'Ik ben echt niet ziek, hoor.'
Zijn vader stoot hem aan.
'Of ben je soms verliefd?' plaagt hij.
Koen geeft zijn vader een duw terug.
'Doe niet zo stom, pap,' zegt hij.
Vlug eet hij zijn bord leeg.

Om acht uur moet Koen naar bed.
Hij geeft zijn vader een zoen.
'Ga maar vast naar boven,' zegt zijn moeder.
'Ik kom over een paar minuten bij je.'

Koen holt de trap op.
Op zijn kamer kleedt hij zich uit.
Dan poetst hij zijn tanden.
Hij hoort dat mam de trap op komt.

Koen kruipt diep onder de dekens.
Zijn moeder gaat op de rand van het bed zitten.
'Is er echt niks met je?' vraagt ze.
'Je bent een beetje wit.'
Koen schudt heel hard met zijn hoofd.
'Nee mam, er is echt niks,' zegt hij.
Zijn moeder aait over zijn haar.
'Nou, slaap maar lekker dan.'
Ze geeft hem een zoen op zijn hoofd.
Dan gaat ze de kamer uit.

Koen kan niet in slaap komen.
Hij ligt al meer dan een uur wakker.
Koen denkt aan de **club** van drie.
Het is nu bijna de **club** van vier.
Ha, dan gaan ze leuke dingen doen.
En dan mag hij ook in de hut.
Dat heeft Tjerk zelf tegen hem gezegd.
Maar ja, eerst moet hij nog ...
Koen krijgt opeens pijn in zijn buik.
Hij denkt aan de toets in de **la** van juf Tessa.
Wat gebeurt er als juf het merkt?
Dan krijgt hij flink straf van haar.
Dat is wel zeker.
Maar ach, juf merkt het vast niet.
Ik doe het gewoon heel erg snel, denkt Koen.

Ik doe het zo snel dat niemand het ziet.
Het duurt lang voordat Koen in slaap valt.

4. Nu!

Koen gaat de volgende dag vroeg naar school.
Er is nog niemand op het plein.
In de klas van juf Riek brandt licht.
Juf Riek is altijd heel vroeg op school.
Koen zet zijn fiets in het fietsenhok.
Hij heeft nog steeds pijn in zijn buik.
'Hé, kijk eens uit, man!' zegt een boze stem.
Het is de stem van Tjerk.
Hij remt vlak voor Koen.
Koen springt nog net opzij.
Tjerk gooit zijn fiets neer.
'Rob en Luuk komen er ook al aan,' zegt hij.
Koen slikt een paar keer.
Tjerk kijkt hem aan.
'Je durft toch nog wel, hè?' vraagt hij.
Koen probeert stoer te kijken.
'Tuurlijk durf ik wel,' zegt hij.
Maar zijn stem is niet stoer.

De vier jongens staan bij de schooldeur.
Tjerk **gluurt** om het hoekje naar binnen.
'Juf Riek is in haar klas,' **fluistert** hij.
Tjerk zet de deur van de school op een kier.

Hij kijkt Koen aan.
'Nu!' **fluistert** Tjerk.

Koen doet een stap naar voren.
De pijn in zijn buik wordt steeds erger.
Zijn benen voelen raar.
Dan haalt Koen diep adem en hij glipt de school in!

5. Hebbes!

Koen loopt op zijn tenen door de gang.
Hij sluipt langs de klas van juf Riek.
Hij hoort haar zachtjes zingen.
Vlug loopt Koen naar zijn eigen klas.
Hij haalt een pen uit zijn vak.
Koen pakt een blaadje van zijn kladblok.
Dan loopt hij naar de tafel van juf Tessa.
Koens hand gaat naar de **la**.

Er wordt hard op het raam geklopt.
Koen **schrikt** er heel erg van.
Tjerk, Luuk en Rob staan voor het raam.
Tjerk wijst naar jufs tafel.
Koen knikt met een boos gezicht.
Hij trekt de **la** open.
Daar ligt de map met de toets, vlak voor zijn neus!
Koen pakt de map uit de la en doet hem open.
Hij bladert vlug door de stapel.
Zijn vingers trillen.
Waar staan de antwoorden van de toets nou?
Wacht, op dat grote blad misschien.
Koen legt het blad op de tafel van juf.
Er staan twintig letters op het blad.

Het begint met een B en dan komt er een D.
Daarna een A en dan een C.
Ja hoor, dat zijn de antwoorden van de toets.

Koen pakt zijn blaadje en zijn pen.
Heel snel schrijft hij de letters op.
Koen kijkt een paar keer naar het raam.
De drie jongens staan er nog steeds.
Koen doet het blaadje in zijn zak.
Vlug pakt hij de map weer in.
Koen wil de map weer in de **la** leggen.
Maar ... hij stoot tegen de rand van de tafel.
De map valt met een klap op de grond!
Er vallen wel tien bladen uit.

Weer wordt er op het raam geklopt.
Tjerk wijst naar de weg en dan ziet Koen het ook.
Zijn hart staat bijna stil van schrik.
Juf Tessa komt eraan!
Koen raapt de bladen op.
Hij propt alles in de map.
Vlug smijt hij de map in de **la**.
Hij rent zo hard hij kan de klas uit.

Koen holt naar buiten.
Net op tijd, want juf Tessa loopt het plein op.

Tjerk, Rob en Luuk staan bij het klimrek.
Koen loopt naar hen toe.
'Heb je de antwoorden?' vraagt Tjerk.
Koen klopt op zijn broekzak.
Tjerk slaat Koen op zijn schouder.
'Dan hoor je nu bij onze **club**,' zegt hij.
'En je mag vanmiddag bij ons in de hut.'
Koen knikt.
Ja, hij hoort nu bij de **club** van drie.
Koen probeert blij te kijken.
De pijn in zijn buik is weg.
Maar er is nu een ander gevoel.
Een gevoel of er een steen op zijn maag ligt.

6. We halen een tien!

'Nog één keer,' zegt Tjerk.
Hij zwaait met het blaadje van Koen.
Ze zitten in de hut in de tuin van Rob.
Tjerk leest hardop voor:
'B, D, A, C.'
Hij doet zijn ogen stijf dicht.
'B, D, A, C,' zegt hij.
Dan wijst Tjerk naar Luuk.
'Nu jij,' zegt hij.
'B, D, A, C,' zegt Luuk hem na.
Ook Rob zegt de letters na.
'En nu jij nog,' zegt Tjerk tegen Koen.
Koen doet wat Tjerk zegt.

Zo oefenen ze wel een half uur.
Dan stopt Tjerk het blaadje in zijn zak.
'Ha, we halen morgen een tien,' zegt hij.
Koen kijkt naar de punt van zijn schoen.
'Maar eh ... is dat niet gek?' vraagt hij.
'Wat bedoel je?' zegt Tjerk.
Koen denkt na.
'Nou, dat jij een tien haalt voor de toets,' zegt hij.
Tjerk schudt zijn hoofd.

‘Nee hoor, dat is toch niet gek?’ zegt hij.
‘Ik heb gewoon alles goed van de toets!
Dus dan krijg ik een tien van juf Tessa.’
Rob en Luuk knikken.
‘Ja, en wij krijgen ook een tien,’ zegt Rob.
Koen staat op.
‘Ik moet naar huis,’ zegt hij.

Koen loopt langzaam naar huis.
Morgen is de toets.
Zou Tjerk echt een tien halen?
Ja, dat moet wel.
Hij kent de antwoorden uit zijn hoofd.
Maar wat zal juf dan zeggen?

7. De toets

Het is vrijdag, de dag van de toets.
Juf Tessa deelt de toetsen uit.
Dan gaat ze voor de klas staan.
'Jullie hebben een uur de tijd,' zegt ze.
'Denk bij elke vraag heel goed na.
Pas dan zet je een kruisje bij de goede letter.
Doe maar goed je best!'

Koen leest de eerste **opdracht** van de toets.
Het gaat over een leeuw in het bos.
Koen leest vraag één.
Hij weet het antwoord uit zijn hoofd.
Dat moet B zijn.
Dat kan niet anders.
Koen kijkt verbaasd naar de antwoorden.
Hè, hoe kan dat nou?
Het antwoord op vraag één is C en geen B.
Koen leest de vraag nog een keer.
Nee hoor, het is echt zo!
Vlug leest hij vraag twee.
Dat antwoord moet D zijn.
Dat kent hij uit zijn hoofd.
Koen kreunt zacht.

De D bij vraag twee is ook niet goed.
Dat moet een A zijn.
Koen weet het heel zeker.
Ze hebben in de hut niet de goede antwoorden geleerd!
Wat moet hij nu doen?

Koen kijkt over zijn schouder.
Tjerk steekt een duim naar hem op.
Vlug kijkt Koen weer voor zich.
Oei, dit gaat zo helemaal niet goed.
Maar wat kan hij eraan doen?
Koen kruist de C aan bij vraag één en de A bij vraag twee.

Na een uur haalt juf de toetsen op.
'Ga maar even lezen,' zegt juf.
'Dat hebben jullie wel verdiend.
Dan kijk ik vast de toetsen na.'
Koen leest in zijn boek.
Maar hij kijkt steeds naar juf.
Juf Tessa heeft een rode pen in haar hand.
Ze kijkt heel snel na.
Koen kijkt op de klok boven de deur.
Het is bijna twaalf uur.
'Ruim je boek maar op,' zegt juf en ze gaat staan.

'Weet u ons **cijfer** al, juf?' vraagt Rob.
'Nog niet van iedereen,' zegt juf Tessa.
'Straks doe ik de rest, maar we gaan eerst eten.'
Koen loopt de klas uit.
Voor hem lopen Tjerk, Rob en Luuk.
Ze slaan elkaar op de schouder.
Koen is niet blij.
De steen op zijn maag is nu heel zwaar.

8. Hoe kan dat?

Om half twee begint de school weer.
Juf Tessa wacht tot het stil is in de klas.
Ze heeft de toetsen in haar hand.
'Ik heb hier de cijfers van de toets,' zegt ze.
'Luister maar, dan lees ik ze op.'
Juf leest de cijfers voor.
Koen **schrikt** als hij zijn naam hoort.
'Koen, je hebt een negen!' roept juf.
Koen hoort Tjerk lachen.

Juf heeft nog maar een paar toetsen in haar hand.
'Dan is er iets geks aan de hand,' zegt ze.
Het wordt heel stil in de klas.
Juf loopt naar de tafel van Tjerk.
Daar blijft ze staan.
'Tjerk, kijk me eens aan,' zegt juf Tessa.
Tjerk doet wat juf zegt.
'Wat denk je dat je voor **cijfer** hebt?' vraagt juf.
Tjerk trekt een stoer gezicht.
'Ik denk dat ik een tien heb, juf,' zegt hij.

Juf Tessa schudt haar hoofd.
'Je hebt een één,' zegt ze.

De mond van Tjerk valt open.
'Een ... een één?' zegt hij langzaam.
'Maar hoe ... hoe kan dat nou?'
Juf Tessa legt de toets op Tjerks tafel.
'Je hebt maar één vraag goed,' zegt ze.
'Je hebt alleen vraag zes goed.'
Tjerk kijkt naar de toets op zijn tafel.
'En weet je wat zo gek is?' vraagt juf.
'Rob en Luuk hebben ook maar één vraag goed.'
Juf kijkt Rob en Luuk om beurten aan.
Ze slaan hun ogen neer.
'Zij hebben ook vraag zes goed,' zegt juf Tessa.
'Is dat niet erg gek?'

Koen buigt zijn hoofd.
Er drupt een traan op zijn bank.
Koen kan er niks aan doen.
Zijn vinger gaat langzaam de lucht in.
'Wat is er, Koen?' vraagt juf Tessa.
'Juf, ik ... ik ... het is mijn schuld,' huilt Koen.
Juf gaat naast Koen staan.
'Vertel het me om half vier maar,' zegt ze.
'Dan hoor ik wel hoe het zit.'

De rest van de middag gaat heel langzaam.
Koen kijkt een paar keer naar Tjerk.

Maar Tjerk kijkt met een wit gezicht voor zich uit.
Eindelijk is het half vier.
Juf wijst Tjerk, Rob en Luuk aan.
'Wachten jullie maar even op de gang,' zegt ze.
De drie jongens doen wat juf Tessa zegt.
De andere kinderen gaan naar huis.
En dan ...
... dan zijn alleen Koen en juf nog in de klas.

9. Een eigen club

Juf Tessa zet een stoel bij Koens tafel.
'Vertel het me maar,' zegt ze.
Koen denkt na.
Dan vertelt hij juf alles.
Hij vertelt van de **club** van drie en van de **opdracht** van Tjerk.
Juf wacht tot hij klaar is.
Dan staat ze met een zucht op.
'Dit vind ik heel erg, Koen,' zegt ze.
'Dat snap je zeker wel?'
Koen huilt weer.
'Ja juf, maar ik ... ik wou graag bij de **club** van drie.
Ze doen leuke dingen en ze hebben een hut.'
Juf schudt haar hoofd.
'Vind je dit dan zo leuk?' vraagt ze.
'Een **club** die vraagt of je iets steelt?'
Koen zegt niets.
Hij weet wel dat juf gelijk heeft.

Juf loopt naar haar tafel.
Ze pakt de rode map met de toets.
'Er zitten drie toetsen in de map,' zegt ze.
'Je hebt de verkeerde toets gepakt.'

Juf legt de map terug in de **la**.
'Ik moet het tegen je ouders zeggen, Koen.'
Koen kijkt de juf aan.
'Ik vertel het zelf wel, juf,' zegt hij.
Juf denkt even na.
'Dat is goed,' zegt ze dan.
'Maar je moet wel eerlijk zijn.'
Koen knikt heel hard.

Juf gaat weer bij hem zitten.
'Van mij krijg je geen straf,' zegt ze.
'Maar je moet me één ding beloven.'
Koen kijkt op.
'Je mag zoiets nooit meer doen,' zegt juf.
Koen schudt zijn hoofd.
'Nee juf, ik zal het echt nooit meer doen,' zegt hij.
'Ga dan maar vlug naar huis,' zegt juf.
'Ik ga nu met de **club** van drie praten.'

Koen loopt naar de deur.
'Koen, nog één ding,' zegt juf Tessa.
Koen blijft staan.
'Waarom maak je zelf geen **club**?' vraagt juf.
'Een **club** die ook leuke dingen doet.'
Koen kijkt haar verrast aan.
Hij veegt een traan van zijn wang.

‘Goed juf,’ zegt hij.
Dan holt hij de klas uit.

Koen fietst naar huis.
Oei, wat zullen pap en mam boos zijn.
Hij krijgt vast erge straf.
Maar ja, dat is zijn eigen schuld.
Koen bijt op zijn lip.
Had hij maar niet naar Tjerk geluisterd!
Juf heeft gelijk.
Ik maak zelf wel een **club**.
Wie zouden er mee willen doen?
Dan gaan we heel veel leuke dingen doen.
En we bouwen ook een hut.

Koen rijdt de straat in waar hij woont.
Hij zet zijn fiets in de schuur.
Mam staat al voor het raam.
Ze zwaait vrolijk naar hem.
Koen haalt diep adem.
Hé, wat gek!
Het nare gevoel is weg.
Het gevoel van de steen op zijn maag.

Koen loopt naar de deur van de keuken.
Ik zeg alles eerlijk, denkt hij.

Dat heb ik juf beloofd.
Ik zie wel wat voor straf ik krijg.
Het is mijn eigen schuld.
Maar morgen ...
Morgen maak ik zelf een **club**.
Een **club** waar niemand een **opdracht** krijgt!

Leestips

Algemeen

Leesplezier is het allerbelangrijkste!

Kinderen bij wie het leren lezen niet zonder problemen is verlopen, vinden lezen moeilijk en niet leuk. De boekenserie *Zoeklicht Dyslexie* wil de drempel om te gaan lezen verlagen en kinderen laten ervaren dat het lezen van een verhaal plezier geeft.
U kunt als ouder een belangrijke rol spelen in het laten ervaren van leesplezier. Daarom hebben we hieronder wat eenvoudige tips bij elkaar gezet.

De gulden regel is om het plezier in het lezen voorop te stellen.
Dwing uw kind nooit tot lezen. Kies voor het kind geen boeken waarvan u niet zeker weet dat uw kind het onderwerp leuk vindt. En kies liever een boek met een (te) laag AVI-niveau dan een boek met een (te) hoog AVI-niveau.

Maak lezen niet tot een straf. Stel het lezen niet in de plaats van iets wat uw kind graag doet, bijvoorbeeld computeren of televisie kijken. Lees elke dag een kwartiertje op een tijdstip dat uw kind het wil. Geef het bijvoorbeeld de keuze: of om acht uur naar bed of nog een kwartiertje opblijven om samen te lezen. Zo wordt lezen extra leuk.

Een keer geen zin in lezen? Lees dan voor. Hiermee zorgt u ervoor dat uw kind kan blijven genieten van boeken en verhalen, zonder dat het hiervoor een (te) grote inspanning moet leveren. Heeft u een poosje geen tijd om voor te lezen? Leen dan eens een luisterboek bij de bibliotheek.

Een tien voor taal?

Maak uw kind nieuwsgierig. Om uw kind nieuwsgierig te maken naar dit boek, kunt u het alvast samen bekijken, zonder het te gaan lezen. Bekijk de titel: *Een tien voor taal?* en de voorkant van het boek. Waar zou het verhaal over kunnen gaan? Ook via de luister-cd kunt u uw kind nieuwsgierig maken naar de inhoud van het boek. Tijdens het fragment op de cd hoort uw kind dat Koen heel graag bij de club van Tjerk wil. Maar hij moet eerst een moeilijke opdracht uitvoeren. Stel nu de vraag aan uw kind: Wat zou de opdracht voor Koen kunnen zijn en zou Koen dat durven? Een leuke uitdaging om nu zelf te gaan lezen.Ook tijdens het lezen kunt u uw kind nieuwsgierig houden. Bijvoorbeeld door op het eind van elk hoofdstuk even samen te fantaseren over hoe het verhaal verder zou kunnen gaan.

Lastige woorden op de flappen. In elk boek komen woorden voor die lastig te lezen zijn. In dit boek komt onder andere het woord *club* voor. *Club* is een lastig woord. De *c* aan het begin kun je lezen als een s of als een *k*. Hier moet je kiezen voor de *k*. Ook de laatste letter van het woord is lastig. Een *b* op het eind spreek je uit als een *p*. Je zegt dus klup tegen het woord club. De lastigste woorden uit het boek hebben we op een flap bij elkaar gezet. Thuis kunt u deze woorden samen bekijken: u als ouder leest de woorden een keer voor. Uw kind kijkt mee en kan de woorden als een echo nazeggen. Straks bij het lezen van het verhaal legt u de flappen open en dan zijn deze woorden niet zo moeilijk meer.
De woorden op de flappen worden ook op de cd voorgelezen.

Samen lezen. Om de vaart in het verhaal te houden, kunt u met uw kind afspreken dat jullie dit boek om beurten lezen: uw kind een bladzijde en u een bladzijde. Hierdoor kan uw kind zich af en toe concentreren op de inhoud van het verhaal, zonder dat het zich moet inspannen om de tekst te ontcijferen. Ook wanneer uw kind lastige woorden tegenkomt, kunt u uw kind helpen door af en toe een moeilijk woord voor te zeggen. Komt dit woord later weer voor, dan is uw kind aan de beurt.

Prijs uw kind. Prijs uw kind uitbundig, als het dit boek helemaal heeft uitgelezen. Het heeft een hele prestatie geleverd en dat mag benadrukt worden. Vertel uw kind bijvoorbeeld dat in dit boek negen hoofdstukken staan. Deze negen hoofdstukken heeft uw kind, samen met u, allemaal gelezen. Voor in het boek staan de titels van alle hoofdstukken. Door de titels samen nog een keer te lezen, kunt u nog even napraten over wat er in het boek allemaal gebeurd is.

Naam: *Henk Hokke*
Ik woon met: *Harma.*
Dit doe ik het liefst: *schrijven, lezen en wandelen.*
Dit eet ik het liefst: *Indische rijsttafel.*
Het leukste boek vind ik: *Robinson Crusoë.*
Mijn grootste wens is: *nog heel veel boeken schrijven en ... een keer de Kinderjury winnen.*

Naam: *Els van Egeraat*
Ik woon met: *mijn man Marco, zoon Joost en hond Doortje.*
Dit doe ik het liefst: *zwemmen in de zee met windkracht 7, wandelen aan zee, schelpen zoeken, zingen in een smartlappenkoor of gewoon zingen als ik aan het werk ben, tekenen en schilderen.*
Dit eet ik het liefst: *spaghetti, pannenkoeken, een lekker gebakken visje, slagroomtaart, maar niet te veel, anders word ik te dik!*
Het leukste boek vind ik: *boeken met tekeningen van Philip Hopman en boeken van Ted van Lieshout.*
Mijn grootste wens is: *gezond en gelukkig blijven!*

hij gluurt (gluren)

la

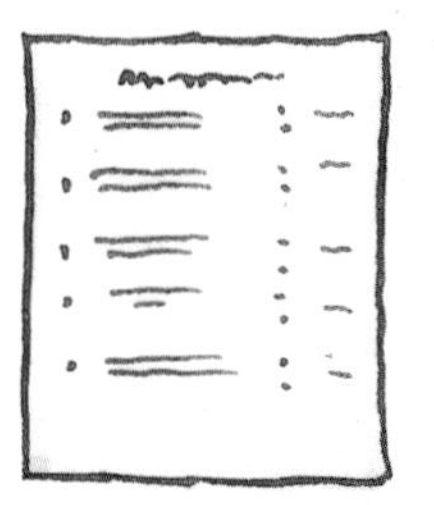

opdracht

hij schrikt (schrikken)